Yr Helfa Drysor

gan
Llinos Mair

Wenfro

O! Gwyn ein byd
– a gwyrdd!

Gomer

'Pwy sy'n dod ar helfa drysor?' gofynnodd Mam-gu Iet-wen, ar fore braf o hydref.

Dŵr Glaw

DIM Sbwriel
Trysorau yn unig!

Croeso i
Iet-wen

1

'Ni'n dod, Mam-gu Iet-wen!' meddai Owen ac Olwen.
'Ho, ho! Bant â chi! Fe wylia i'r cyfan o fan hyn ar y
Wen-Cam,' sibrydodd Branwen, y frân wen.

'Beth fydd y trysor?' holodd Olwen.
'A-ha! Nid un trysor ond trysorau fydd ar ddiwedd y daith,'
meddai Mam-gu Iet-wen yn wên o glust i glust.

Daeth Bwgi-bo, y bwgan brain mud, i weld beth oedd yn digwydd.

Roedd Bwgi-bo yn meddwl llawer, ond yn methu dweud gair.

Prydwen y pryf copyn oedd yno yn eistedd yn gysurus ym mhoced Bwgi-bo. Roedd hi'n gyffrous iawn hefyd.

Felly dyma Olwen, Owen, Bwgi-bo
a Prydwen yn mynd ar helfa drysor
gyda Mam-gu Iet-wen.

Ar y ffordd, dyma nhw'n gweld Glanwen y ddafad yn nyddu gwlân allan yn y cae.

'Da iawn, Glanwen! Ddof i draw fory i helpu lliwio'r gwlân. Fe gei di wau siwmper dwym i fi wedyn,' meddai Mam-gu Iet-wen.

Siglodd Bwgi-bo ei ffordd yn swnllyd draw at y llyn yng nghornel y cae. Yno roedd broga mewn hwyliau drwg.

Cadwa'r sŵn i lawr, Bwgi-bo! Mae rhai ohonon ni'n trio cysgu.

Beth? Pam mae broga eisiau cysgu yn y bore?

'Rydyn ni'n paratoi i fynd i gysgu dros y gaeaf gan nad oes llawer o bryfed i'w bwyta,' meddai llyffant llwyd dioglyd gerllaw.

Edrychodd y llyffant yn slei ar Prydwen. Byddai pryf copyn yn gwneud pryd bwyd bach blasus. Ond roedd hi'n cuddio'n saff ym mhoced Bwgi-bo.

Nos da!

Erbyn hyn, roedd Mam-gu Iet-wen wedi dod o hyd i aeron coch a dechreuodd eu casglu. Daeth Olwen i'w helpu.

Bydd yn ofalus! Mae drain y rhoso yn bigog.

Pwyntiodd Owen at ddraenog bach brown, pigog oedd yn siffrwd ei ffordd drwy'r dail.

Ond cyn aros am ateb, rholiodd y draenog i'w belen fechan a syrthio i gysgu ar unwaith.

'Bydd y draenog yn cysgu drwy'r gaeaf hefyd,' esboniodd Mam-gu Iet-wen.

Ar ôl cael llond ei fola o bryfed fel fi!

'Mae'n crwban ni gartre'n gysgadur hefyd,' cofiodd Owen. 'Mae llawer o anifeiliaid yn cysgu'n gynnes, braf tan y gwanwyn,' meddai Mam-gu Iet-wen eto.

Beth welodd Mam-gu Iet-wen ar ben y clawdd nesaf ond clwstwr o gnau hyfryd.

Ond roedd rhywun arall yn eu hoffi...

Rhuthrodd fflam goch â chlwstwr o gnau fel bwled heibio i draed Mam-gu Iet-wen.

Dim amser i siarad heddiw – wela i chi yn y gwanwyn!

'Wel, mae hi'r wiwer goch wedi casglu digon o fwyd cyn mynd i'r gwely dros y gaeaf,' chwarddodd Prydwen.

Dyma nhw'n croesi'r cae ac yn dilyn y llwybr draw at yr ogof. Edrychodd Owen i mewn drwy'r tywyllwch.

'Ssssh...' meddai Mam-gu Iet-wen. 'Na, ond mae rhywun arall yn cysgu fan hyn hefyd. Cysgadur bach sydd mor ddu â'r nos.'

Yn sydyn, sylwodd Owen ar greadur arall. Wrth ymyl y graig roedd neidr werdd wedi rholio'n dynn.

18

Agorodd y neidr un llygad a rhoi winc fawr ar Olwen. Yna nôl i drwmgwsg â hi.

'Mwyar duon! Mwyar duon yw'r trysorau?' holodd Olwen yn syn. Nid dyma beth roedd hi wedi ei ddisgwyl o gwbl.

Rhaid mai tric yw hyn.

'Paid â swnio mor siomedig, Olwen fach. Dyma drysor y cloddiau. Edrych arnyn nhw – maen nhw'n anferth!' meddai Mam-gu Iet-wen.

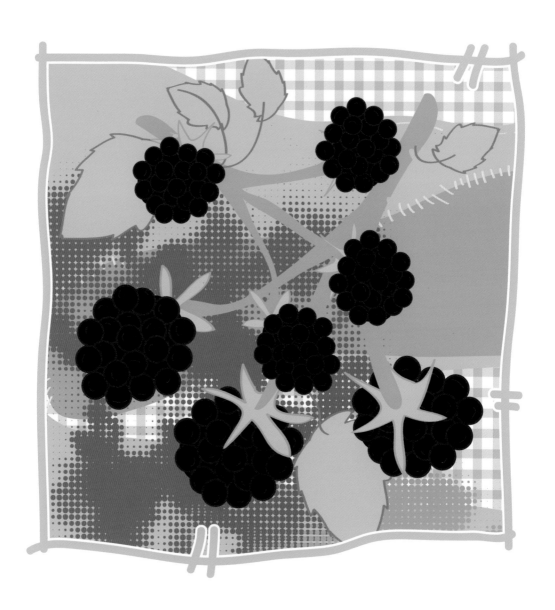

A dyma nhw'n casglu'r ffrwythau nes bod y bowlen yn orlawn a'u bysedd yn biws.

23

Gwelodd Bwgi-bo fod ffrwythau wedi pydru yn y bowlen hefyd.

'I Glanwen mae'r rheiny. Bydd eu sudd yn dda i liwio'r gwlân,' esboniodd Mam-gu Iet-wen. Roedd hi'n edrych ymlaen at gael siwmper biws newydd i'w chadw hi'n gynnes drwy'r gaeaf.

Ond roedd Olwen yn dawel iawn ar y ffordd adref. Doedd hi ddim yn meddwl bod mwyar duon yn drysorau o gwbl.

Wrth gwrs, eu bod nhw! Dere, Olwen fach – ti roddodd y syniad i fi am yr helfa drysor. Ar ôl i ti ddod â'r mwyar o bendraw'r byd i mi o'r siop ddoe, dyma fi'n dechrau meddwl am yr holl drysorau sydd o'n cwmpas ni.

Cynnyrch Gwlad Bell
£3.00

Rhoddodd gwtsh mawr i'w hwyres fach.

Roedd Owen yn edrych ymlaen at helpu Mam-gu Iet-wen yn y gegin.

'Fe fydd digon o drysorau fan hyn i bawb,' meddai Mam-gu Iet-wen yn hapus.

Roedd Bwgi-bo wrth ei fodd â'i drysor.

Jingl-jingl! Clinc-clinc! Ysgydwodd ei
ffordd yr holl ffordd tuag adref i
Iet-wen.

Roedd yr helfa drysor wedi dod i ben a phawb wedi blino'n lân.

I ffion Haf – ein trysor bach ni! x

Cyhoeddwyd gyntaf yn 2015 gan Wasg Gomer, Llandysul, Ceredigion, SA44 4JL
www.gomer.co.uk

ISBN 978 1 84851 852 0
ISBN 978 1 84851 920 6 (ePUB)
ISBN 978 1 84851 932 9 (Kindle)

ⓜ y testun a'r lluniau: Llinos Mair © 2015

Noddwyd gan Lywodraeth Cymru.

Argraffwyd a rhwymwyd yng Nghymru gan Wasg Gomer, Llandysul, Ceredigion, SA44 4JL